늘
푸른
이야기

이 미 라

늘 감사하고
행복했습니다.
이 책이 작은 기쁨이
되어 드린다면
참 기쁠것 같아요.

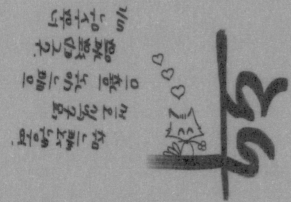

늘
푸른
이야기

LEE MI RA SPECIAL EDITION

늘 푸른 이야기 3

이미라

늘 푸른 이야기 3권 9

저것이?

다들 한꺼번에 덤벼!

끝장이다.
아마존 회원에게
맞아서
힘도 없는데….

이럴 때
정의의
기사라도….

뭐, 뭐야?!

바야앙

까악―.

좋아하는 사람이니까.
서지원은 슬비 양이
나를 만나면 화가 나고,
나는 슬비 양이
서지원 만나면 화가 나고,
그건 좋아하기 때문이고,
좋아하니까 화가 나는 거고,
화가 나는 것은
좋아하기 때문이고…

에이~,
이게 뭐야?
갑자기 내가
바보가
된 것 같다.

연락처나
만날 약속 장소.

데이트 약속했다. 난 너무너무 세련된 거 있지.

헤에…

헤에치!

아무리 비가 좋기로 빗속을 바이크를 타고 달려?

요새는 산성비라서 몸에도 해롭다고.

잔소리 말고 수건이나 줘.

바이크는 또 우리 집에 둘 거야?

그래, 이 스웨터 안 입나 보지? 내가 입어줄게.

맘대로 해. 내 건 네 거 네 건 내 거.

엉뚱한 녀석이야. 바이크 타는 것만은 누구에게도 비밀로 해달라니….

가득은이 달 어울리는 남자

밥을 많이 먹어도 배 안 나오는 남자

내가 위험에 쳐 해 있을때 구해주는 남자‥

오토바이를 달 타는 남자 날씬하고 다리가 길어서 부츠가 잘 어울리는 남자가 좋아

라 라 라‥

슬비야~, 지원이 전화다.

별 이상한 노래도 다 있군 그래

슬비니? 집에는 잘 들어갔어? 비가 와서 걱정했어.

아, 네.

놀러 안 올래? 방금 네게 들려주고픈 신곡이 생각났는데 제목이 뭔가 하면….

저…, 오늘은 안 되겠어요. 비도 오고….

오늘 있었던 수난을 이야기해야 할지 말지….

그래?
그럼 전화기를
통해서라도
들어볼래?

슬비~, 기뻐해줘.
특훈의 성과 훌륭히
발휘하고 있어.
야아옹~.

저, 지금
가스에 커피 물이
끓기 때문에….
…다음에 해요.

바둥
바둥

앙~.
슬비~

딸깍_

피곤하다.

아마존 …

털 형선 일당 …

원 방 선

옴

싹..

왠지 푸르매 녀석도
안 좋은 눈으로
노려보는 것 같고….

그리고 무엇보다도…,

서지원을
싫어하는 건 아니지만
이제 생각해보면
지금까지 난 내 의사하곤
상관없이 이끌려
다닌 것 같아.

내가 분명하지 못하고
우유부단해서일 거야…
맞아!

그래!!

정말 잘 생각했어. 그런 비현실적이고 비리비리하게 생긴 녀석은 사실 좀 위험해.

정말 잘했어.

지금은 서로를 믿고 교제하다 결혼하겠지. 하지만 그의 탓은 아니라 해도 환경이 그를 바람둥이로 만들고, 결국 가정 파탄이라는 엄청난 비극을 일으키고 말 거야.

너무 좋아하지 마. 기분 나빠지니까.

나도 커피 한 잔 타줘.

어~, 벌써 물이 끓네.

조그만 녀석이 무슨 커피야!

안 타줄 거야?

너 지금
협박하는 거니?

이 걸로
그냥···

안 타주면
내가 타서
마시려고···

기죽어···

여기 있어.
흑나비 씨 대신이니
운 좋은 줄 알아.

흑나비?

응, 그 사람이
날 집까지
데려다줬거든.

비 맞으면서 말이야.
집에는 잘
들어갔나 몰라.
아직까지 밖에
있으면 어떡하지?

걱정 마.
집에 잘 들어가
커피 마시고
있을 거야.

그러고 보면
난 언제나
도움만 받았지,
준 것은 없는 것 같아.

그 사람에게
뭔가를 해주고 싶어.

…뭐가 좋을까?

지원 씨,
나 좀 봐.

…지원 씨.

하기야…,
작곡에 몰두했을 때는
대답할 리 없지.

…저 모습을 보면
확실히 타고난
음악가인데….

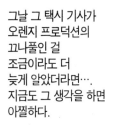

그날 그 택시 기사가
오렌지 프로덕션의
끄나풀인 걸
조금이라도 더
늦게 알았더라면….
지금도 그 생각을 하면
아찔하다.

흥!
그런 수로 지원을
무너뜨릴 수 있다고
생각했다는 건가?

약물이 든 얼음,
엔진 고장 따위로….

…그래도
의혹은 남는다.
나와 전갈들을
지칭한 경고장은
또 뭐라
해석해야 하지?
오렌지 프로덕션이
아니라면….

서지원과 나,
전갈 삼총사를
묶어 생각하는
그 누구…!
…누구지―?

슬비,
뭐 하니?

응?
뜨개질
하고 있어.

남자용인데
누구 거지?

헤헤~.
비밀!

난 누군지 다 안다.
서지원 씨 줄 거지?

땡—!

틀렸
습니다!

당분간 내가 다시 기타를 맡아야 될 것 같아.

오렌지 프로덕션에서 조종인을 스카우트해 갔어.

뭐?

오렌지 프로덕션에선 '타도 서지원' 이란 슬로건을 내걸고 그 녀석에게 A급 강사를 붙여 댄스, 무대 매너, 가창력을 집중 지도하고 있나 봐.

연예가 소식통들은 벌써 입을 모아 서지원에게 일격을 가할 대어라는 말들을 한대.

종인은 확실히 재능을 지녔으니까.

재능뿐 아니라 지원 씨에겐 없는 독기도 가졌지.

의리 같은 것은 간단히 외면하는 잔인함까지도!

넌 샤워 안 하니?

집에 가서 할 거야. 넌 벌써 옷까지 갈아입었냐.

뻘썩!

나야 번개 아니냐! 콜라나 좀 남겨줘. 헤헤~.

……

저기다! 푸르매 선배님!

부럽군, 또 너의 팬들이야. 아까 응원이나 하러 오지.

우루루!

뻘떡!

야—, 푸르매.

아까 왜 그랬냐?

넌 여자애들과 잘 어울려주는 편이었잖아.

오늘은 별로 노닥거릴 기분이 아니어서 그래.

시합에 져서 그러지? 인마, 힘내.

그리고,

너무 승부에만 집착하면 안 좋아. 종인이 녀석처럼 된다고.

음…

자기 따알린 !!!

혁진아, 너 누구 좋아해 본 적 있니?

셀 수도 없을 정도로 많지.

어릴 땐 옆집 선희, 초등학교 4학년 땐 내 짝 혜원이, 그리고 빵집 딸 미희, 고등학교에 올라와선 백장미 양…

그래, 사람은 살면서 많은 사람과 부딪치고 또 좋아하게 마련이야. 누군가를 좋아하는 건 결코 나쁜 게 아냐.

그래, 그런 의미에서 우리 미팅하자. 응?

하지만, 사랑은….

왜 그래, 어디 아파?

이룰 수 없는 사랑이란 걸 알면서도 사랑한다는 것만큼 바보 짓은 없겠지. 가면은 언젠가는 벗겨져.

오늘따라 이해 못할 소리만 하는 것 같아. 뭐야—, 푸르매,

그건 허상일 뿐이지, 진실은 아니야.

고민 있으면 얘기해봐. 도움이 될지도 모르잖아?

…그래, 나 혼자 어찌할 수 없는 때가 오면 너에게 얘기할게. 내일 보자.

일요일의 데이트…, 가지 않겠어.

흑나비란 가면을 쓰고
한 번쯤은 슬비의 연인이 되어
온종일을 보내고도 싶지만…,

꿈에서 깨어나면
더욱 허전할 거야.

혹시나 하며
두근거리는
마음으로
좀 더
가까워지길
원하지만…

아니—,
가까워진다해도
…난…
푸르매인걸.

그지
스쳐 지나는
바람일 뿐이야.

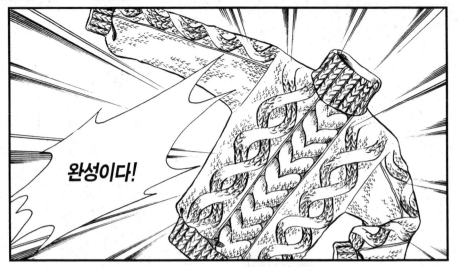

완성이다!

푸르매, 이리와봐.
어깨 한번
맞춰보자.

몰라, 바빠.

맞을 거야.
다행히 푸르매와
사이즈가
비슷했으니까.

나도 참.
엉겁결에서
말이야

그날 껴안아보길
잘했지.

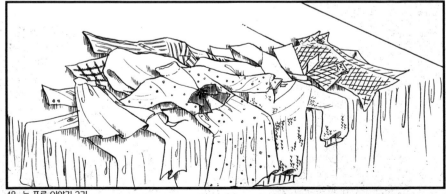

미야,
너에게도 목걸이가
잘 어울리는구나.

슬비…,
전화해도
잘 받아주지 않고,
만나자마자
도망가버리고….

내가 싫은 걸까?

아…,
자기 혐오에
빠진다.

사랑하나요….

사랑하지 않나요….

사랑하나요….

사랑하지 않나요,
사랑하나요.

그래, 어쩌면
늦을지도 몰라.

미안하지만,
내가 늦게 오면
미야 저녁 좀
돌봐줘.

어!
집에 있었네.

나 잠깐
나갔다올게.

…또
슬비라는 애에게
가는 거지요?

내일 스케줄에
지장 있도록
하지는 말아요.

염려 마.

…지원은 나를…

사랑하지 않는다.

애들은 어디 가서
올 생각들을 않는담.
6시가 넘었는데….

전 그만
가보겠습니다.

바쁠 텐데,
헛걸음해서
어떡하죠?

아닙니다.
연락 않고 온
제가 잘못이죠.

그럼.

정말~.
일요일이라고
집에 있는 걸
못 본다니까.

으응,
이건…!

지원이
떨어뜨렸나 보군.

부우웅

슬비 아니니?

슬비…?

이제 진정하고 마음을 풀어.

뭐든 먹자. 배고프다.

훌쩍.. 훌쩍.

......

내가 불러줄게. 햄버그 스테이크, 오무라이스, 카레라이스.

카레라이스요.

카레라이스 둘과 레몬스쿼시 부탁해요.

마셔, 슬비. 기분이 좋아질 거야.

네, 비둘기네 집에서 한 번 먹은 적 있는데, 맛있었어요.

음,
역시 맛있군.

헤헤~.
맛있다.

난 정말 단순한가 봐.
아까까진 무지무지 슬펐는데
먹고 나니 기분이 좋아지니….

슬비, 시간 나면
우리 집에 놀러 와.
장미꽃 꺾어줄게.
정원엔 다 지고 없지만
온실 안엔 아직 많아.

…네.

이상하다.
이 사람을 보면
거절할 수가 없어져.

맑은 미소 저편에서
언뜻언뜻 느껴지는
그림자 때문일까?

좀 있으면
겨울 방학이
시작될 거야.

바보, 방학이
뭐 좋다고 그래.
3학년 죄수처럼
갇혀서 공부만
해야 되는걸.

재미있게
놀아야지.

조용—, 조용—.
지금은 수업 중입니다.

첫눈…
첫눈이 내리면
사랑이
찾아온다는데….

사랑이라….

…장미는
남자를 싫어한다는데
나는 모두가 좋기만 하니 왜일까?
나란 여자는 혹 바람둥이가 아닐까?

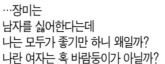

아이고~.
부끄러워라.
바람둥이라니….

그쪽 창밖을 보며
히죽히죽 웃는
학생!

에 헤헤

눈이 와서
좋은 모양인데,
실컷 보게 해주지.
운동장 한 바퀴
돌고 와요.

—?
…뭐야, 저 학생.

걱정할 건 없어.
우린 월향선이
시키는 대로만
하면 돼.

그래, 월향선은
영특한 여자야.

동시에 잔인한
여자이기도 하지.

슬비,

같이 가려고
기다렸어.

와글! 와글!

그, 그래?
고마워.

첫, 인정사정없이
팰 때는 언제고….

서지원은
아직도 자주
만나니?

아, 아니야.
네가 만나지
말랬잖아.
그래서….

그런 간섭까지 해서 미안해, 슬비. 하지만 언젠가는 모든 것이 널 위해서였다는 걸 알게 될 거야.

알고 있어.

지금은 서로를 믿고 교제하다 어쩌면 결혼하게 될지도 모르지. 하지만 그의 탓은 아니라 해도 환경이 그를 바람둥이로 만들고 결국 가정 파탄이라는 엄청난 비극을 만들게 될 거야.

그런 걸 미연에 방지하기 위해서였다는 거 잘 알아.

아하… 세뇌교육의 성과가.

아니, 한 번도 얼굴을 본 적이 없어.

슬비… 너, 흑나비가 누군지 혹, 알고 있니?

으윽… 바람맞은 기억이 떠올라 화난다.

…네 동생.

응?

으응, 네 동생과 너는 유난히 우애가 있는 것 같았거든. 그래서 부러웠다고…

그렇게
얘기하니 부끄러워.
사실 그렇게 우애가
깊은 것도 아냐.

매일매일을 안 싸우고
넘어가는 일이 없다는 게
더 정확한 얘기야.

어린 시절에는
정말 사이가 좋아서
늘 같이 다녔지만 말이야.
지금과 달리 그땐
귀엽고 순진했거든.

……

꼬마야 꼬마야 뒤를 돌아라

꼬마야.

그래….
생각이 난다.
초등학교
3학년 때였지.

푸르매—,
너희 누나
또 싸운다.

뭐?

픽

탁

툭

아름 국민학교

착하고 귀여운

아이들의 꽃동산

동네 아주머니들이다.

그래, 시장 가나 봐.

어머, 이씨 댁 쌍둥이 아니에요.

그래요.

안녕하셔요

어머나~. 귀엽기도 해라.

애가 착하기로 동네에 소문이 났어요. 나도 저런 애 하나 가져봤으면.

야유~, 꼭 인형 같지 뭐예요. 머리도 솜털같이 부드럽고….

정말… 이씨 얼굴은 드라큘라 같은데 어디서 저런 보석이 나왔는지…. 윤 여사는 복도 많지.

예쁜 애를 갖고 싶어 은숟가락으로 국 먹고 금젓가락으로 밥 먹었대요.

나보고 보석이래. 오호호..

그래요. 우리도 노력하면 가능성이 있어요.

난 다 기억하고 있어.
네가 수박 먹고 잤을 때 이불에
오줌 싼 사건, 그리고
먹을 게 없다고 치사하게 개밥을
훔쳐 먹고, 7살 땐가… 그땐 땅에
떨어진 귤껍질을 한 번 빨고 버렸고,
8살 땐 더럽게시리 숨바꼭질
할 때 숨을 데가 없다고
쓰레기통 속에 숨고,
9살 땐 또….

봐, 그렇지?
그래서 난 네가
내 동생인 게
참 창피해.

이제부턴
내 근처에
오지 마!
알겠지?

창피해,
그만해!

씨이….

나, 나도
누나가 너무너무
창피하다, 뭐.

히이잉

응?
저게…!

매일 애들과 싸우고,
비도 안 오는데
장화 신고
우산 들고 다니고,
엄마가 돈 안 준다고
시장에서 땅바닥에
뒹굴면서 울고, 또….

아얏!
뭐야, 이건...?

......!
이 싸움,
중지시켜야 해.

장미,
위험해!

첫눈이라…．

애들이 좋아하겠구나…．

그렇지, 애들이
돌아오기 전에
맛난 핫케이크
구워놔야겠군.

아 참….
여태껏 지갑을
못 돌려주었네.

가족사진…
인가 보네.

쯧쯧쯧….
단란해 보이는
가정인데….

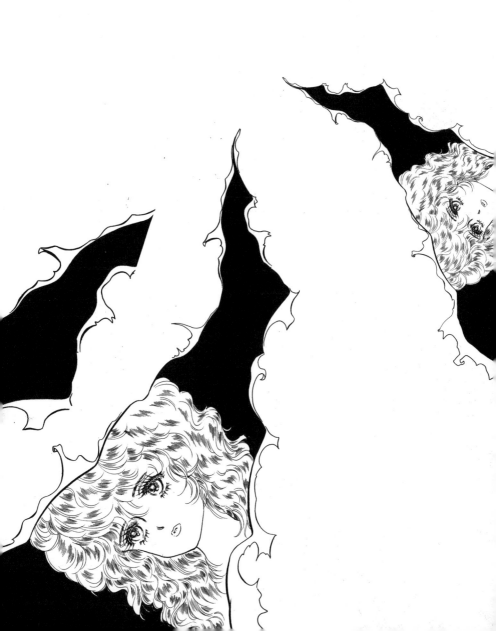

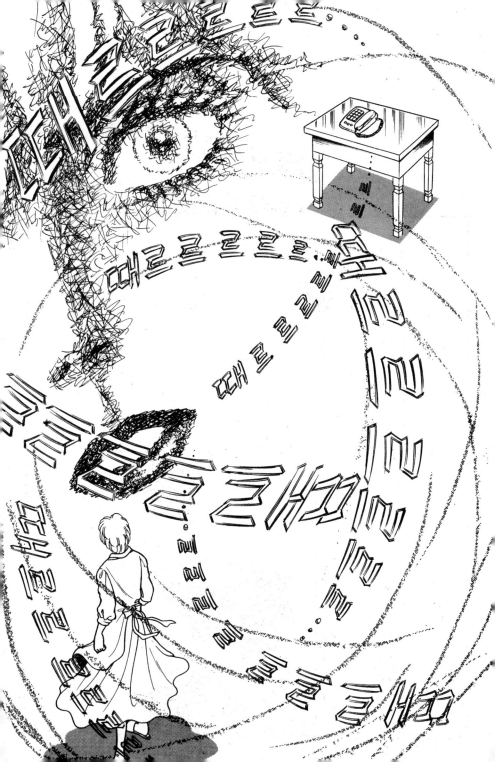

곧 깨어날 거예요. 약간 찢어진 것 외에는 이상이 없다니까….

그래, 다행이구나.

……

얼굴이 너무 창백하세요, 엄마. 제가 너무 놀라게 해드렸나 봐요. 저도 당황해서….

……

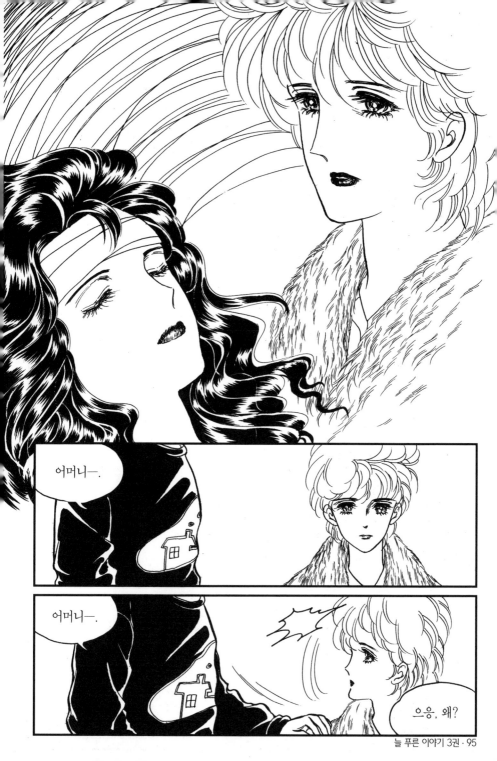

어머니—.

어머니—.

으응, 왜?

정말 어디 편찮으신 거 아니에요?

하루쯤 더 병원에 있어보라는데, 만일의 경우를 위해서라니까 걱정하실 건 없어요.

그래.

나는 괜찮아. 그보다 슬비는,

깨어나는 대로 퇴원해도 된다던?

세상에나~. 눈 속에 돌을 넣다니….

마두알 고주알

상종 못할 악당들이지 뭐야!

그래도 언니가 크게 안 다쳐서 정말 다행….

맞아. 자칫했더라면 큰일 날 뻔했어.

뚜벅· 뚜벅·

뚜벅·

아직도 안 갔어요?

깨어나는 것 보고 가려고요.

분…명히
서훈섭 씨… 맞죠?

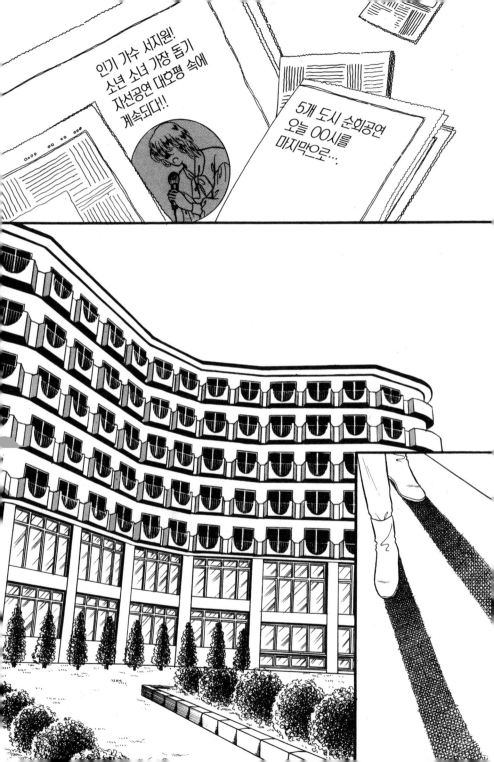

뿍!

아,
피곤해….

드디어 공연 끝.
내일이면 서울로
돌아가게 된다.
…슬비를 못 본 지
무척 오래된 느낌….

도착하자마자
슬비에게 가야지.

슬비…,
그동안 나를
보고 싶어 했을까?

으윽—.
갑자기 불안해진다.
내가 없는 사이
흑나비란 녀석과 더
친해진 것 아닐까?

벌떡

슬비를 늘 도와주는
사람이라니까 나도
고마워해야 하지만….

…그때,
약속에 바람맞고
울고 있던 슬비….

그것은….

아우웅~. 골치 아프게
생각할 것 없어.
몇 시간씩 기다리고
바람 맞으면 누구나
눈물 날 수밖에
없을걸, 뭐.

상대가
누구든지
간에….

힘을 내자,
서지원!

언니ㅡ!

깨어났구나,
슬비!

슬비,
이제 괜찮아?

왜 그래?
내가 무슨…

기억 안 나요?
언니, 눈싸움하다
돌맹이에 맞아
기절했었어요.

…흑나비….
슬비는 아무것도 모르는 것 같지만
그는….

그래, 그의 표정….
형제란 그런 거지.

왜 그래요,
지원 씨?

아파요?

지….

와‥

…전
괜찮아요.

정말?

네.

봐요.
생생하잖아요.

언제 퇴원하니?

내일요.

그래? 그럼 너 주려고 사 온 선물은 퇴원 축하 선물이 되겠구나.

흥! 누구 때문에 언니가 다쳤는데…. 뻔뻔스럽기도 하지.

그러게 말이야. 주변 정리나 잘할 것이지.

왜 그러지? 모두들 표정이 안 좋네…. 서지원을 싫어하나?

……

장미가 싫어하니 나도…!

참, 슬비, 내가 급히 오느라 빈손으로 왔는데 지금이라도 나가서 좀 사 올게. 뭐가 좋을까? 과일?

아이스크림?

아이스크림이 좋….

…긴… 하지만 아까
먹었으니까 됐어요.
바쁘실 텐데
그만 가보세요.

면회 시간
끝났습니다.

그만 나가주세요.

출구는
여기입니다.

지독한
여자들뿐이군.

2105

얘기 좀 하죠?

본론만
말씀드리지요.

슬비를 잊어주십시오.
더 이상 다치게 할 수
없습니다.

아무리 몰랐다 해도
결국 선배님으로 인해
생긴 일이지
않습니까?

나,
나는 모르는
일이었어.

나라면 그렇게
만들지 않아요.

좋아하는 여자 하나
제대로 지켜주지
못하는 남자라면 누굴
좋아할 자격도 없어요!

나는 .

......

지원 씨,
이번 주말 스케줄
말인데…

그래.

…다행이다.
고의로 그런 게
아니라서.

화내서 미안해,
혜자.

알아서 해줘.
일정은 항상 네가
조정해줬잖아.
난 널 믿고 걱정 안 해.

괜찮아.
그보다 스케줄에
대한 얘긴데…,

내가 실수로 시간대를
중복되게 해버렸거든.
그래서….

…유능한!

월향선, 넌
유능한 매니저야.

어떡하죠, 언니?
종인 오빠가
행방불명됐어요.
이틀째예요.

오늘
오후 3시 30분에 ABC에서
데뷔 공연이 있는데요….
여태껏 소식이 없으니…
어떻게 된 걸까요?

서지원 씨도
2시에 ABC에서
녹화가 있어.

뭐?!

그래서
거기 갔다가
종인 씨 공연에 갈
예정이었는데….

아무 연락도 없이
안 돌아오는 거니?

네, 오빠 반 친구들 얘기론
어제 학교도 안 왔대요.
그러니 등교 때부터 행방을
알 수 없는 거예요.

……

너무 걱정 마.
곧 돌아올 거야.
어디선가 맹렬히
연습 중인지도
모르잖아.

그…
그럴까요?

이 공연은 틀렸어.

모인 방청객들은 어떻게 합니까?

방영 스케줄은요?

방영 스케줄은 땜질 편성이라도 하면 되지만, 혈기왕성한 청중들을 해산시키는 게 더 골치야.

에이! 생초짜라 불안하다 싶더니.

저…, 다른 사람으로 땜빵하면…?

서지원이 7스튜디오에 있습니다. 지금쯤 녹화가 끝났을걸요?

뭐, 뭐야?

바보 같은 소리! 이 정도 무대를 감당할 하이틴 스타를 갑자기 어디서 데려온단 말이야. 이 시간에!!

왜 그런 얘기를 이제야 하는 거야! 가서 데려와! 번개같이 모셔오라고!

캑

캑

아…, 알았…, 이 옷… 좀….

생각해보면
사람의 인연이란
참 알 수
없는 거야

처음 TV에서
보았을 때
우린 전혀
모르는
사이였는데

정말 굉장해.
지난번 학교에서와는
또 다르구나.
…그래, 지원은
노래할 때가 제일
멋있는 것 같다.

…한 인간으로서
너는 최저, 최악인데
어째서 네게서
빛이 느껴지지?

…화난 거야?

내 마음대로
행동해버려
싫어졌니?

그런 얘기가
아니에요.

그럼 뭐가
잘못됐다는 거야?
알기 쉽게 말해줘.

……

어젯밤에도 꿈을 꾸었어.

언제나처럼
아버지, 어머니
그리고 지혜가…

웃는 얼굴로
손 흔들며
떠나는 꿈.

건강해져서
꼭 돌아올 거라던
그 약속의 순간…

끝내 지켜지지 않은….

이젠 지켜지지 않은
꿈의 흔적을 찾기보다
새로운 꿈을 꾸고 싶어.

지혜를 닮은
너랑 함께!

지혜?

천국에 간
내 동생이야.
너랑 많이
닮았어.
처음에는
그래서 네게
이끌렸는지도
몰라.

하지만
지금은 아니야.

그냥 너를 좋아해.
진짜….

슬비,
너랑 장미를 키우며
살고 싶다.

미야도
우리 주위를
즐겁게 뛰어다니고…,

허공엔 장미꽃잎들의 윤무…,

…생각만 해도 행복해.

할 얘기란 게 뭐지?

슬비는 소중하디 소중한 나의… 누나입니다.

오늘 공연장의 선언이 어느 정도의 진실인지 확인하고 싶었습니다.

만일 조금이라도 장난의 의미가 깃들어 있다면….

장난이 아냐!

…그걸 어떻게 믿죠?

내 영혼을 걸고
맹세하겠어.

처음엔 나도
그저 마음 편하고
정겨운 친구인 줄로만
알았어.

그러나
슬비가 다쳤다는
소식을 듣고서…

나 자신이
얼마나 깊이…,
얼마나 간절히
슬비를 사랑하고
있던가를
깨닫게 된 거야.

내게는
슬비뿐이야.
앞으로도 쭉―!

정말이지
눈물 나게
부럽구나….

…당신이 부럽다!
그리두 우연하게,
그리도 자신 있게
가슴속의 사랑을
토로할 수 있는
당신의 위치가….

처음부터
그럴 생각은
아니었다.

···사고 당시 우리도 제법 부상을 당했고,

엉겁결에 안고 탈출한 아이는
의식까지 잃어 치료가 급했었지.

아이의 정확한 신원을 알 수 없던 우리는
임시로 슬비의 이름으로 입원 수속을 했어.
그런데···

깨어난 아이는
아무것도 기억하지 못해서
우리 부부는 몹시 당황했다.

하지만 그 아이가
제 부모와 함께 사망자 명단에
올라가 있다는 것을 알게 됐을 때···,
어쩌면 운명일지도 모른다고 생각했어.

그날···,
아이는 내 딸 슬비가 되었다.

그 무엇보다 강해서
가슴 터질 듯
북받쳐 오르는데도
차마…
네게 전할 수는 없네.

…그 누구에게도
얘기할 수가 없네.

늘
푸른
이야기

월향선, 저쪽에 아까부터 널 찾는 애가 있어.

…나를?

아는 애야?

…어디서 본 것 같기도 한데?

그래?

쟤, 아마존 회원이잖아? 슬비란 애하고도 친하더라.

아! 맞다. 그 애구나.

무슨 일로 나를 찾는 거지?

조종인은 어디 있죠? 알고 있을 거예요.

가겠어요.

다 왔어.

어디죠?
오빠는 어디에
있어요?

네 오빠는
여기에 없어.

뭐?

지금부터 미끼가
되어주셔야겠어.

아얏!

왜 이래요!
놔—! 놔요—!

왜 그래, 슬비!
아파?

......

이젠 괜찮아졌어.

몰라,
갑자기….

잘됐어, 푸르매.
택시 좀 잡아줘.

비둘기에게 무슨 일이
생긴 것 같아.

시간 없어.
택시나 빨리 잡아!

그게
무슨 말이야?

택시ー.

택시ー.

××공원!

붕

××공원!

부웅

××공원!

교대 시간
입니다.

부웅

이봐요,
아저씨—!

치사하다, 치사해!
가다가 펑크나
확 나버려라!

펑

샘통
이다!

외진 곳이라
안 가는 건가…?
큰일이네.

흑나비,
언제나 내가
위급할 때면
나타나는 사람.
요술램프의
지니 같은 사람.

한 달 만이야.
정말 미워할 수가
없구나.

만나면
약속 어긴 대가로
열 대를 때려주려
했는데….

뭐야, 월향선!
어두운 게 싫다고 했잖아!
항상 불을 켜두란 말이야!!

찰
칵

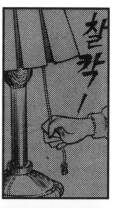

찰
칵!

정전
인가?

저벅
저벅

누구…?
월향선?

아줌마세요?

……

누구지?
…거기 누가
있는 거야?

철컥

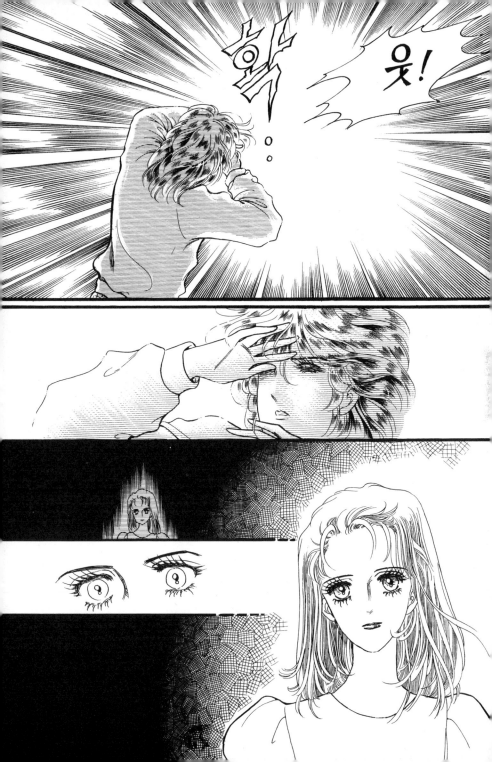

또 만났군, 이슬비.
건강해 보이는데?

월향선, 네가?

그럼 누구라고
생각했어?

비둘기는
어디 있지?

슬비 언니ㅡ.

제법이지만
계속되는
파티는 없어.

빨리 가, 비둘기.

가서 경찰을
불러 와!

네? 네!

뭐야, 저건!
해치워버려!!

빨리 가, 비둘기!

오…,
매력남♡

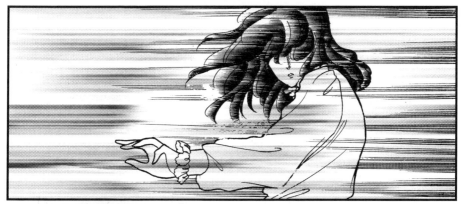

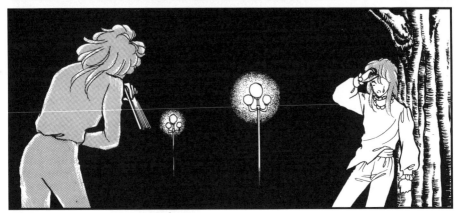

역시
대단하군그래.

처음 널 볼 때부터 왠지
기분이 좋지 않았지.

하지만…,

사랑은 네게
뒤졌는지 몰라도
힘에선 날
이길 수 없어!

팟

ㅊ

뭐야, 애송이!
썩 비켜!!

상아….

6개월 이상
계속 연락이 없고,
편지를 보내도
답장이 없어서 궁금했는데,
설마 죽은 줄은….

이제…
이 세상에 없다니….

…상아…는

다른 의미의
소중함이었다.

우정…
…또는 …아픔!

슬비는…．

살아
숨쉬는
…꿈!

살아 있는 꿈ㅡ,
죽은 아픔ㅡ.
양손에 쥔 떡이니?!
그들의 고통은?!

시간이
좀 더 흐른 후,
슬비는 새로운
아픔이 되고,

또 다른 꿈이
나타나게 되겠지?
그런 각본이잖아!

숱한 자문자답.
…그러나 아무리
생각해도 모르겠다.
월향선은 언제나
날 위해 최선을 다했다.

그런데 왜….

혜자는 상아의 어떤 점에
그런 짓을 할 만큼
증오를 느꼈을까?
나는 혜자가 좋아하는
사람이라면 나 역시
좋아할 것이다.
그런데 혜자는….

아니…, 아니다.
상아만이 아냐.
지난번 슬비에게도
팬들이 협박했다고 했어.
그것은 역시
장미의 말처럼
나 때문…인가?

상아…, 슬비….
내가 가까이 하고픈 사람이
다치는 것은
내가 평범하지 않아서…
…그런 걸까?

가수이니…까?

아아…,
무어라 해도
상아 너에게 나는….
미안해….

…미…안…해….

좀 나와봐.
밖에 경찰이
찾아왔는데
무슨 얘긴지….

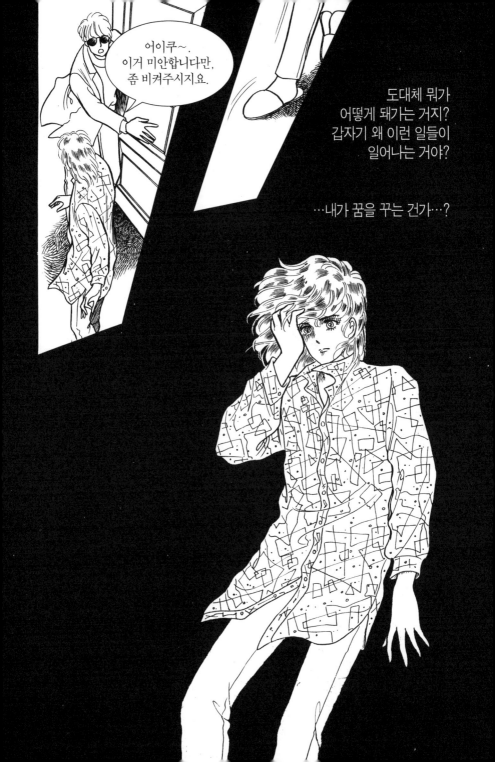

좀 더 자세히
얘기해줘?!
그 계집애, 병원에
실려갔어!
왜, 가슴이
아프니?

혜자―,
도대체
왜…!

상아도 내가
그리 만들었고,
슬비도, 종인도
모두 내가 그랬어!
그래!

당신은 언제나
나 같은 것은
생각도 안 해주고
혼자 마음대로
행동했잖아!

나도…, 나도 그래서
내 맘대로 한 거야!
뭐 어떠니?!
어차피 지원 씨에겐
미움 받는걸 뭐!

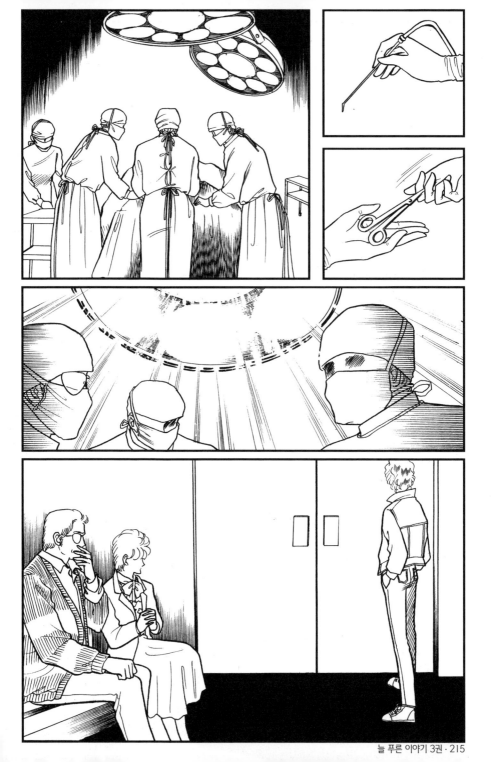

어서 보내요,
내보내요—!

어서요!

집사람이 지금
많이 흥분한 상태니
이해하게나.

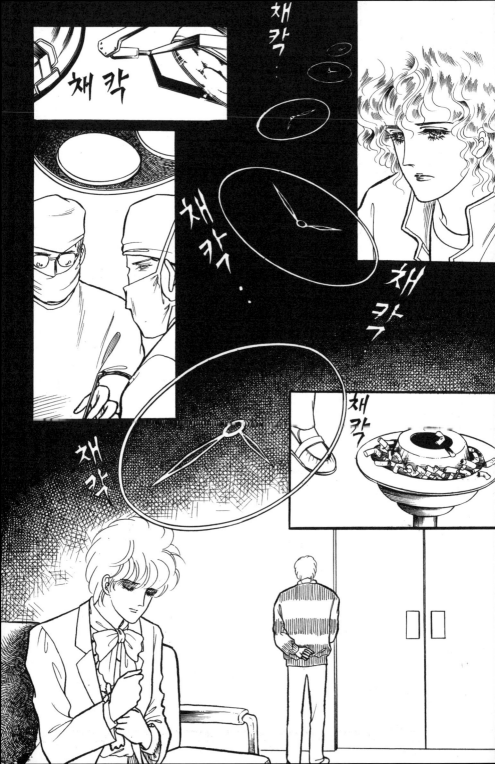

…이대로 봉합한다.

삐
꺽
…

죄송합니다.
최선을
다했습니다만….

여보!

앉아서 마음을
좀 가라앉혀요.

왜 이렇게
오래 걸릴까요.
아아….

염려 말라니까….
곧 끝날 거요.
무사히 끝날 거요.

그러나 담당 의사는
이어서 말했다.

그러나 말씀하신 대로
기억을 상실했던 적이 있으니,
이 수술로 당시의 기억이
돌아올 수 있나 하는
점에서는…,

일단 혈종의
신경축 압박에 의한
일시적 혼란이라고
보여집니다.

무어라 확실하게
답해드릴 수가 없군요.
환자가 깨어나지
않은 이상엔…,

네, 수술은 무사히
마쳤어요, 고모.
결과는 아직
좀 더 두고 봐야
알 것 같고….

철
컹!

101

내가 알지 못하는 슬비의 기억.
그것은…
…지워졌던 옛 기억…인 걸까?

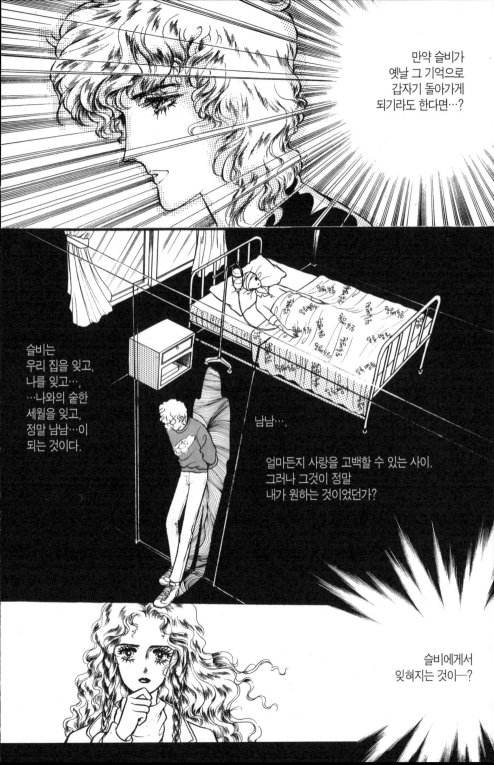

만약 슬비가
옛날 그 기억으로
갑자기 돌아가게
되기라도 한다면…?

슬비는
우리 집을 잊고,
나를 잊고…,
…나와의 숱한
세월을 잊고,
정말 남남…이
되는 것이다.

남남….

얼마든지 사랑을 고백할 수 있는 사이.
그러나 그것이 정말
내가 원하는 것이었던가?

슬비에게서
잊혀지는 것이—?

슬비는…

이제 안심해도
된대요.

그래?
깨어났어?

하지만
면회는 안 돼요.
슬비 어머니가
반대하세요.

…이해해.
번번이 나로 인해
큰일을 치렀으니…

…당연한 거야.

충격발표!!

청소년들의 우상
가수 서지원
돌연 은퇴 선언!

자유인으로 돌아가
내가 지닌 꿈을
소중히 가꾸고 싶어요!

라고 은퇴 이유를 밝히고 있으나
사실은 최근 물의를 빚은 바 있는
매니저 안모 양의 구속 등으로
심적 타격을 받은 것으로
주변 소식통들은 전한다.

무대 위에서 더 이상
그의 매혹적인 모습과
노래를 접할 수 없다는 것은
가요계의 아쉬운 손실…

…그 애는 슬비가 아니오.

그것을 당신도 나도 잘 알고 있소.

……

그… 그래, 우리 둘밖에 모르는 비밀. 우리 둘만 입 다물면 드러나지 않아.

우리 이사 가요, 다른 곳으로…. 멀리 대구나 부산 같은 데 가면 두 사람이 다 멀어질 수 있어요.

그렇게 해요. 여보, 우리 그렇게 합시다, 네?

이것은 형벌이오.

12년 전에 저지른 죄의 대가를 받아야 할 때가 온 거요.

그들은 피를 나눈 남매.

더 이상 천륜을 거스르는 짓은 맙시다.

말…도
안 돼….

슬비와…, 슬비와
내가 남매라니….
슬비가 지혜라니….
지…혜는 12년 전에
죽었는데….

그 애는 죽었어요.
죽은 애가 어떻게
살아날 수가 있죠?
지혜가 슬비라니…,
말이 안 돼요.

얘기했듯이 그날
사고 현장에 있던
우리 부부가….

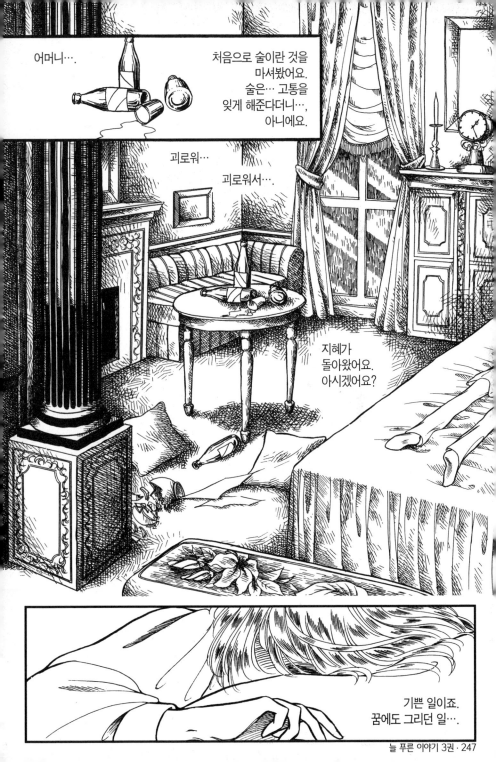

어머니….

처음으로 술이란 것을
마셔봤어요.
술은… 고통을
잊게 해준다더니…,
아니에요.

괴로워…

괴로워서….

지혜가
돌아왔어요.
아시겠어요?

기쁜 일이죠.
꿈에도 그리던 일….

…아니…, 아니야….

지혜, 미안하다.
네가 돌아온 것은 정말 기뻐…

기뻐하고 있어.

하지만 슬비…,
…나의….

누군가를
그토록 좋아한 건
태어나서 처음이었는데….

난…, 나는…
이제 어떻게 하지?

늘
푸른
이야기

1977년 6월 미국—

이럴 수는
없어!

내
아기가…,

내 아기가
이럴 수는
없어.

슬비야아ㅡ!

슬비야,
아아….

기적이
일어나지 않는 한
이 수술은
무리입니다.

지금이라도
마음을
돌리시는 것이….

그러나…, 그러나…
어리석은 부모의 미련이라는 것은
너의 죽음을 지켜볼 수만은 없게 했지.
아무리 작은 지푸라기라도 잡을 수밖에 없어서…,
정말이지 행여나 하고…,
행여나… 하고.

이국땅
꽃피는 6월,
흩어지는 바람으로
아기가 떠난다.

엄마, 이제
집에 가는 거야?

그래, 슬비야.

엄마 아빠랑
사는 거야?

엄마랑 같이
바다 건너 미국 가서
치료 받고 그리고
집으로 가는 거야.

지금 안 가?

나… 싫은…데….

자식은 부모를
땅에 묻고…,

나… 싫어….

부모는 자식을
가슴에 묻는다고…
옛 어른
말씀하실 때
그저 그러려니
생각했지.

신도 신지 않고서
저만 홀로 떠난다.

뒤돌아보지 않고
그저 떠난다.

어둠 속의 어둠인 내 딸,
빛 중의 빛인 내 아이.

자식은…,
자식은 가슴에 묻힌다고
옛 어른 말씀하실 때
그저 그러려니 믿었지.

......

저어…

역시
두 분이셨군요.

그저 그러는
말이려니 믿었지.

ATLONAL AIR

아이가 건강해 보이는군요.

축하해요.

고맙습니다.

…따님 일은 정말 뭐라 말씀 드려야 할지…

가슴 아프네요.

우리 지원이가 많이 기다리겠는걸.

오늘 간다고 전화를 했으니 눈이 빠지도록 기다릴 거예요.

잘 있는지 어떤지···. 아줌마가 잘 알아서 보살펴 주셨겠지만 그래도 저 혼자선 힘겨웠을 텐데요.

오빠 보고 싶다. 이거 오빠 줄 거야.

어머나─, 우리 지혜 착하기도 하지.

같은 병원에서 수술 받은 같은 나이의 두 아이. 한 명은 저렇게 웃고 있는데···.

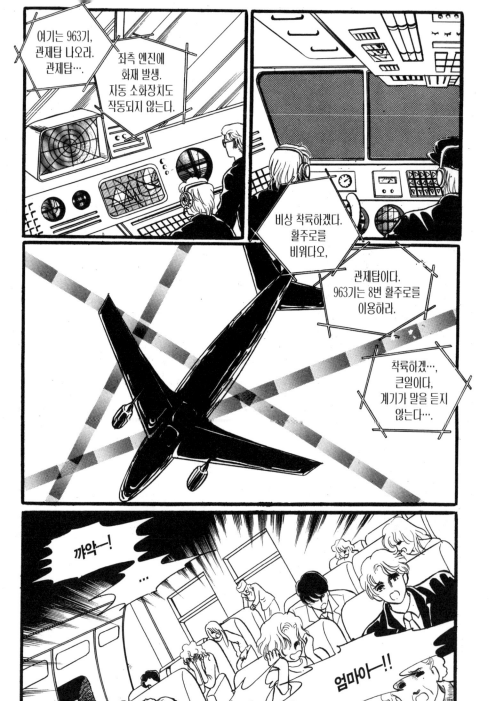

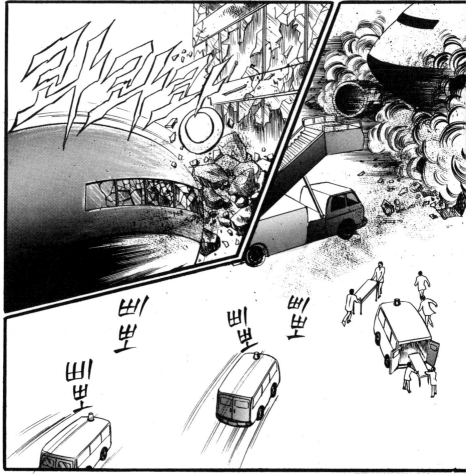

아기는 제게
맡기시고
어서 부인을…

부탁합니다.

엄마….

엄마 곧 오신다.
우린 먼저 가자꾸나.

엄마아ー,
아빠아ー.

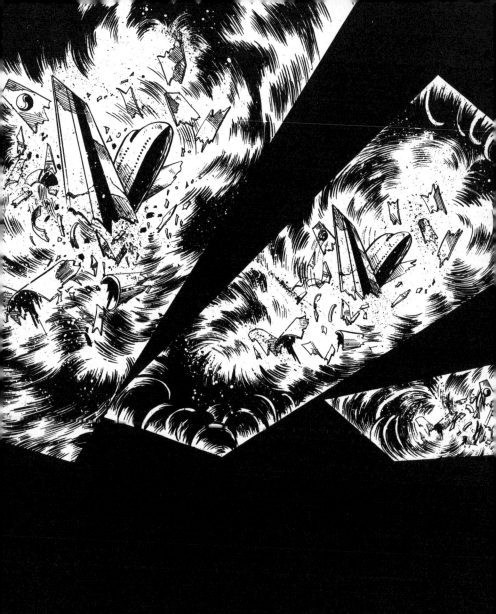

…오빠?

…잊히지 않는
꿈도 있어.

가슴이 아프도록
그리워서
생각하는 것만으로도
눈물이 치솟는…
그런… 꿈….

지원 씨…?

......?

......

아, 엄마.
지원 씨가
왜 저러지요?

…슬비야,
엄마가…

엄마가 네게
할 얘기가 있어.

또각 또각.

용서해, 슬비야.
엄마가 잘못했어.
엄마가 잘못했어.

슬비야―.

난 지혜라면서…
어떻게 내 엄마가
될 수 있어!

…지금까지…
내가 살아온 나날이…,
그 모든 현실이
사실은 허상이었다니….

이제 나는…
어디로 가야 하지?

크리스마스가 지나고…
제야의 종소리를 듣고…
새로 맞이한 1990년.
나는 새로운 삶을 향해
걸음을 옮긴다.

···오빠···와
함께 가겠어요.

뿌
드
득

그렇게
원하던 대로
이제…
남남…이
되었다.
만족하니,
푸르매?

여기가 이제부터
네가 쓸 방이다.

휘

이

잉

서지혜—.
이제부터 내가
살아가야 하는
세월의 이름.

내 보물 1호야.

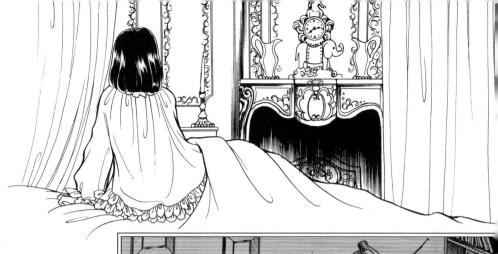

나는 왜 여기에 있는 걸까?
여긴 내 자리가 아닌데….

……

이건…
꿈이야.
그래!

눈 한 번
감았다 뜨면
깨어나게 되는
그런….

…아니야!

늘
푸른
이야기

새해가 시작되고,
두 달째로 접어들면서
나는 법적으로
서지혜가 되었다.

너 서지원
얘기 들었니?

은퇴하는 거?

에이~, 은퇴 얘기나
월향선 얘기는 이미
케케묵은 옛일이고.
그게 아니라…

이슬비와 서지원이
12년 전에 헤어진
오누이였다니….

서지원하고도
전혀 안 닮았어.

어쩐지
푸르매하고는
너무 다르게
생겼더라.

그나저나
연인 선언까지
했는데 갑자기
남매였다….

드라마 속에나
나올 법한 얘기
아냐?

애, 장미 좀 봐.
요즘 이상한 것
같지 않니?

글쎄…, 좀
울적해 보이긴
하지만….

하기야, 증오하던 서지원이 친구의 오빠라니…

충격받을 만도 할 거야.

그래, 그때 뉴스에도 났었잖아. 쟤네 언니 얘기 말이야.

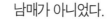

남매가 아니었다.

…푸르매는…
알고 있었던 거야?
그래서 흑나비가…
된… 거?

가슴이
답답하다.

세월은 흐른다.
불안하게…
불안하게…

서로의 가슴에
해일을 감춘 채로…
세상엔 변함 없이
해가 뜨고 해가 지고…

지혜 로즈.

예쁘다.

이제 거의
비슷한 크기네?
어릴 때 오른손이
더 컸었는데.

나랑 놀 때도 그랬어.
내가 오빤데도 항상 네가
더 용감했고 씩씩했단다.
그때마다 어머니는…

그래, 넌 모르겠지만
어머니는 뜨개질을
무척 잘해서 우리들 옷도
자주 떠주셨어.

그래서
놀림도 많이 받았지만
힘이 세서 내가 골목대장
이었다고요.

어릴 때의 푸르매는
엄청 약해서 만날 내가
편들어주곤 했죠.

어머니께서는
뜨개질을 하시며
우리가 노는 모습을 바라보다
웃으시곤 했어.

우리 지원이는
겁이 많아서
큰일이구나.

여동생보다 더
나약해서 어쩌니?

어머니…,
사진으로만 보는,
기억에 없는
어머니….

난 엄마
닮았나 봐요.

나도 뜨개질
잘하는데….

저…, 나… 시간나면
예쁘게 스웨터 한 벌
짜드릴게요.

그래?
기대해
봐야겠는걸.

밖에는
비가 많이
오는데…

싸아아…

이슬비,
네 동생이 우산
전해주라더라.

뭐?

3 - 3

담임: 김

학교
다녀왔습니다.

응—.
비 많이
안 맞았니?

괜찮아요.
푸르매는요?

걔는 폭삭 젖어
감기에 걸려
누워 있단다.

네?

푸르매―.

푸르매―.

와앗···.
누···, 누나야,
숨 막혀.

지금 생각해보면 나는 참 행복한 아이였어.

누가 들으면
창 난줄
알겠네..

뭐,
뭐야

친딸 이상으로
아껴주신 부모님.

그리고···
푸르매도···.

나는···

그래…, 이곳이야.

우리 집은
눈에 익어서
어둠 속에서도
선명한 곳.

초인종을 누르면
다정한 엄마의
목소리가
들리는….

겨울이
끝나가는 건가?
웬 비람….

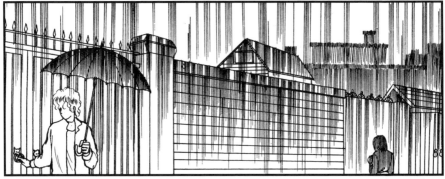

슬비ー!

무슨 일이야,
이렇게 비를 맞고…
어서 들어가자.

아…, 아냐,
여기 오려고
한 게 아니라
그냥
지나가던 길에….

그래,
어쨌든 들어가서
얘기하자.

나… 그만
가볼게.

이 빗속에 어딜
가겠다는 거야.
가더라도 비나
그치면 가.

어서 들어가자,
슬비ㅡ.

싫어.
안 들어가.

슬비ㅡ.

난 못 가!

네게도 충격이 컸을 텐데…

…하긴, 넌 언제나 나와 달리 모든 일에 침착하고 현명하게 대처했어.

난, 멍청해서…

그런 거 아냐. 그런 식으로 말하지 마.

위로할 것 없어.

그렇지 않다니까…

난… 알고 있었으니까.

…이미… 오래 전부터,

그것도 아니라면…

너에게 나는 누나였건 아니건… 아무 상관없을 정도로 하찮았던 걸까??

아니라고!

그런 거 아니란 말이야!!

알고 있던 일이라서….

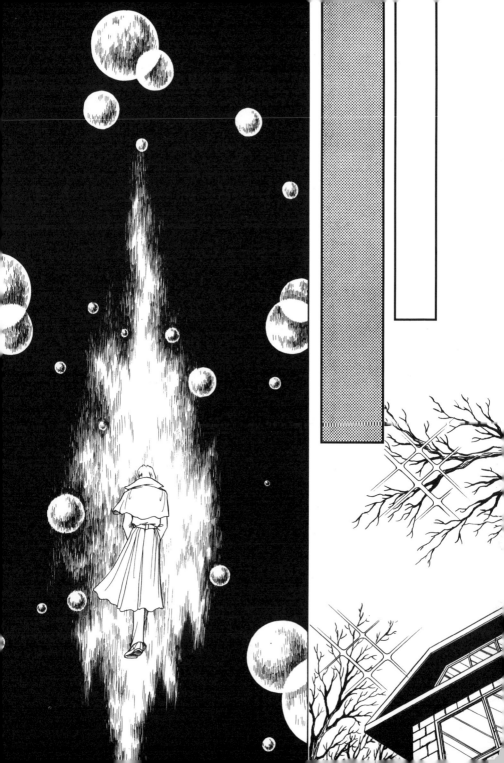

유학…?

네, 벌써부터 고모님께서도 권유해오시던 일이기도 하고….

우리에겐… 시간이 필요할 것 같아서요.

그래, 언제 출발할 건가?

졸업식이 끝나면 곧바로 출발하겠습니다.

좀 더 공부해서 다시 한국에 올 땐 성장한 모습으로 서고 싶습니다.

스, 슬비…, 아니, 지혜는….

그…, 그래 주겠나?

괜찮으시다면 이 댁에 지혜를 부탁드리고 싶습니다.

…오빠?

고마워요, 오빠.

철창

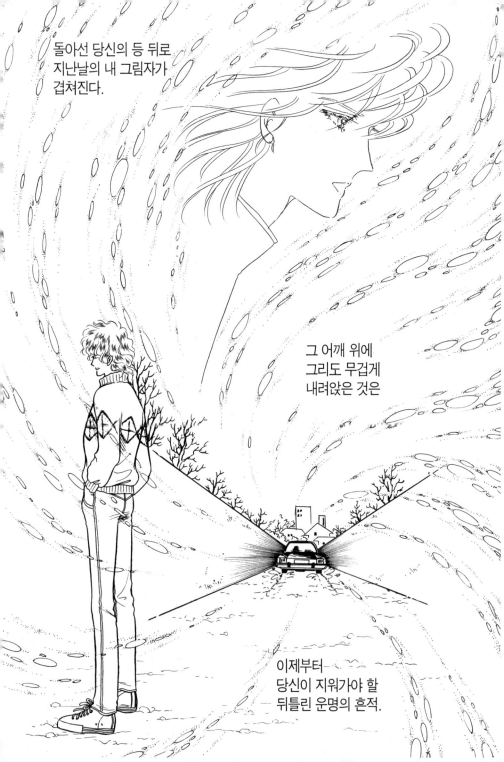

돌아선 당신의 등 뒤로
지난날의 내 그림자가
겹쳐진다.

그 어깨 위에
그리도 무겁게
내려앉은 것은

이제부터
당신이 지워가야 할
뒤틀린 운명의 흔적.

아주 좋은
표정이었어.

푸르매,
니도 이리 와.
미야도.

그래?
같이 가서
찍으렴.

다 같이 웃어요.
김치ㅡ.

장미 아냐!

어머,
슬비야.

정말
오랜만이구나.

그 어느 때완
딴 사람 같군.
여자애들이란 참….

밸런타인데이라….

언니야….

누구를 좋아한다는 건
이런 거야?

자꾸만 초라해져.

나 자신이…
왜 이리 형편없는 사람이
되어가는 거야?

아마도 난
저 초콜릿도
전해주지 못할 거야.

나?

나야?

응.

정말 내게 주는 거야?
누구에게 전해
주는 게 아니고?

그렇다니까.
얘가 속고만
살았나?

마음에 드니?
고심해서 겨우
고른 것인데.

마, 마음에
들고 말고.

아주 좋아.

다행이야.
그런 것 줘도 될까
걱정했는데….

밸런타인…
밸런타인데이….

그날만은
마음 속 깊은 사랑을
열어 보이는 날.

독자 여러분, 그리고 보면
'지성이면 감천'이란
옛말이 정말 명언이죠?

드디어 내 마음이
지혜에게 통한 겁니다.
아아…, 행복….

오빠랑 아빠 것도
똑같은 모양으로 골랐어.
어차피 이렇다 할
대상도 없는데, 가족에게나
선심 쓰기로 한 거지, 뭐.

나 잘했지?

……!

지원—.

아주 가는 것은 아니야.

정확하게 얼마나 있게 될지 알 수는 없지만, 돌아올 거야.

그래, 꼭 돌아와줘. 내가 출감하면 다시 널 인기 스타로 만들어줄게. 다시 시작하는 거야.

혜자…

그러니—. 그러니— 꼭 돌아와야 해. 지원 씨.

나 잘할게. 나쁜 짓도 절대 안 할 테니….

그러니…

…나는… 알지 못하는 사이에 또 다른 한 영혼에게 상처를 입히고 있었구나.

…또 울렸다.

약속할게.

꼭 돌아온다!

지원…

그러니까…

항상 건강해야 돼.
응?

이것은
꿈이 아닐까?

언제나처럼
깨고 보면 더욱
공허해지는…
그런 허망한 꿈…

정말 당신은
내게 소중한
사람이라고
말해주는가?

…소중한
사람이라고….

좀 더 어른이 되고 싶다.
세월이란 레테의 강물….
아무리 날카로운 기억이라도
녹슬게 만드는 힘이 있어.

언젠가…

슬비와의 일도
조용히 되새겨볼 수
있게 될 날이 온다.

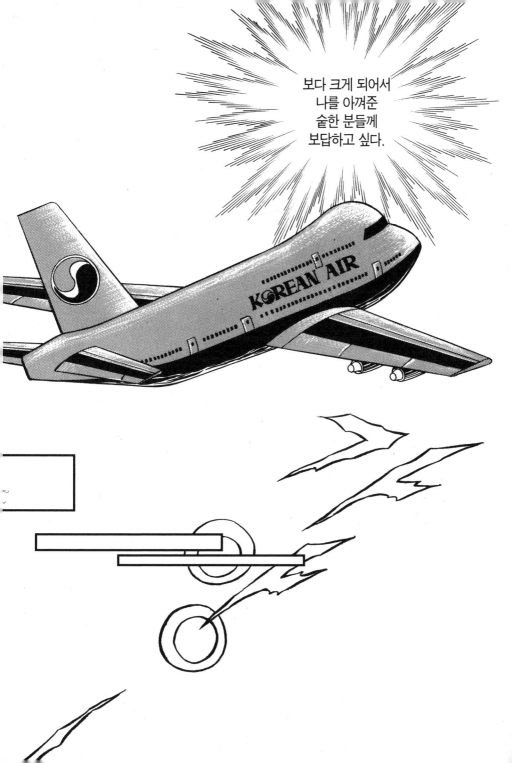

사랑이라고
할 수는 없지만
정말 좋아했다고…
그렇게 전해줘.

그리고
이 꽃을.

서둘러 봄을 맞은
나무에서 꺾은 거야

처음 겪었을
땅 속의 겨울,
얼마나 추웠을지…

─그렇게 말하는 당신의 어깨엔
아직도 차가운 겨울이 머물고 있다

…이제 나는 당신을 알 수 없다.
지난날 당신은 아기와 같아서
한없이 자유롭고 순수했고…
천성이라고 생각했지.

—그래.
이전에도…
그런 얼굴을 했던 사람이 있었다.

때로
그 투명함을
질투했는데 그것은
깨지기 위해서였나?

…그것은 스쳐 지나가는
실바람 같은 아쉬움.
어둠에 익어 가는 하늘,
그 노을의 그림자.

전설처럼,
동화처럼,
그리도 해맑은…,

…해맑은 미소.

그런데도
낙엽을 태우는
향연과 같이
코끝이 저린…,

3월이 와도…
5월이 와도…
당신은 그런….

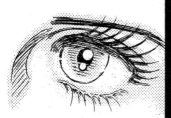

당신에게도
사랑이란…,

잡히지 않는
그 어린 시절의 나비와
같은 것이었는지도
모른다.

안녕히…,

내가 그토록 증오했던 사람….

…그러나…

아름다운 사람!

신입생들인가···
귀여운데?

재잘 재잘

좋을 때다.

이 학교엔
미남이 많을까?
그럼 좋을 텐데.

남녀공학이라
너무너무
좋은 것 있지.

그래,
친구 놈들이 얼마나
부러워했다고!

어마, 미희야
저 사람 좀 봐!

와아

멋있다, 그치?

음..

역시 3학년은
어딘지
엄숙해 보여.

이제
기억났다!

에버그린의
멤버였던
조종인이야!

응?

그랬구나

어디서
본 것 같다
했더니…

그러고 보니 서지원도
우리 학교 선배야.
졸업했지만….

그렇게 갑자기
은퇴해버리다니,
너무해…. 진짜
좋아했는데.

난 팬레터도
보냈었어.

지원 오빠.

오빠기 띠난 지도
어느 새 한 달이 다 되어갑니다.

나는 이제 3학년,
공포스런 입시반이 되었어요.
머리는 많이 길어서
가발이 없어도 되게 되었구요.

나는 차츰 지혜로
살아가는 게
익숙해져갑니다.

오빠는 어때요?
오빠가 지난번에
보내 준 편지에는
어학 코스를 밟고 있는
중이라고 되어 있던데,
진도는 어느 정도인지요.

참, 반가운 소식 하나─.
요즈음 장미의
남성혐오증이
거의 치료됐어요.

아마도 세상에
나쁜 남자보다는
좋은 남자가 더
많다는 걸 알았나 봐요.

내가 여자애
하나 때문에
이토록 괴로워해야
하다니….

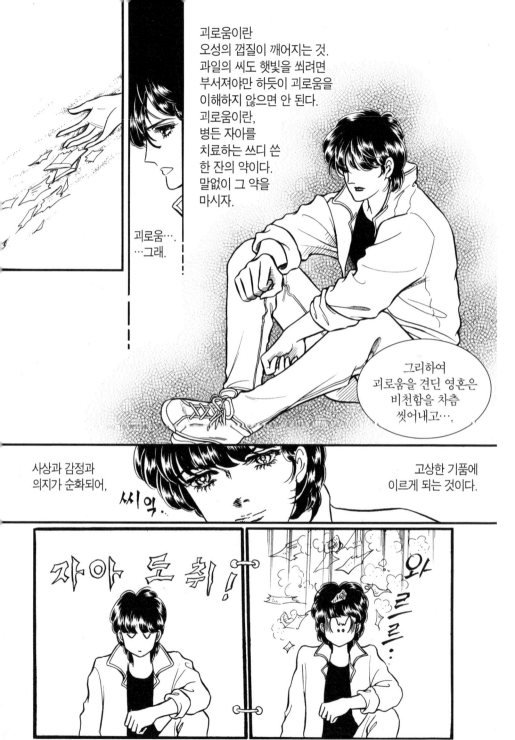

괴로움이란
오성의 껍질이 깨어지는 것.
과일의 씨도 햇빛을 쐬려면
부서져야만 하듯이 괴로움을
이해하지 않으면 안 된다.
괴로움이란,
병든 자아를
치료하는 쓰디 쓴
한 잔의 약이다.
말없이 그 약을
마시자.

괴로움…
…그래.

그리하여
괴로움을 견딘 영혼은
비천함을 차츰
씻어내고…,

사상과 감정과
의지가 순화되어,

고상한 기품에
이르게 되는 것이다.

씨익.

자아 도쥐!

와르르…

이선자 선생님
정말 싫다.

지각 1분마다
반성문 한 장이
뭐니.

어제 혜원이는
100장을 썼대.
정말 휴지통 당번도
골치야.

제엔장!

지혜는 아는 걸까?
푸르매가 자기에게 얼마나
신경을 쓰고 있는지…

다시 한번
설명할게.

이쪽의 y를
이항하면 이렇게
되는데….

속도가 너무
빠르다니까?

…두 사람 사이에는
누군가가 들어갈 틈이
조금도 없는 것 같아.

…외롭구나.

푸르매에게도
잘 맞을 거야.

엉―?

금방까지
소리가 들리더니
어디 갔지?

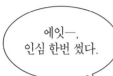

에잇—,
인심 한번 썼다.

온 김에 겨울 옷
정리해준다.

이게 마지막
서랍이지.

탁

뭐야?

이것은
혹시—?

남자애들 방에
주로 서식한다는
전설의 빨간 책…?

—어?

설마….

…하지만
왜 여기에….

뭐, 뭐야?
사람을
귀신 보듯이
바라보고!

귀·귀신?!

저… 저어,
푸르매…,
있잖아….

아, 아냐.
나중에 얘기할게.

……

저어….

뭔데 그렇게
뜸을 들여?

지혜?

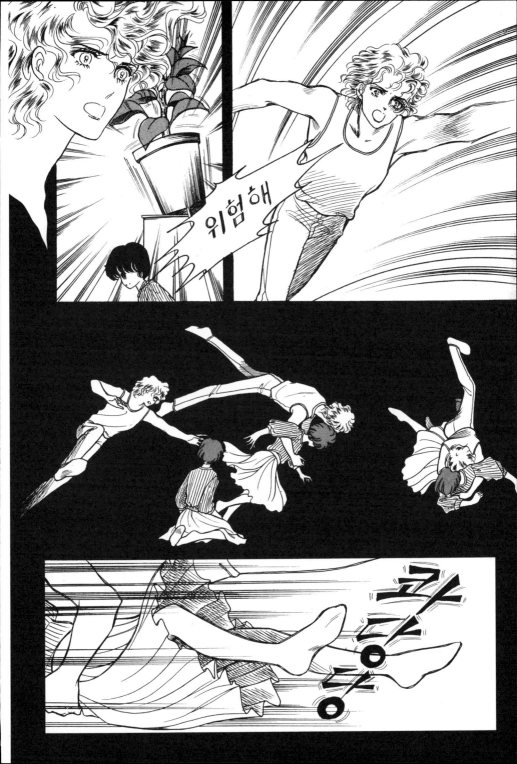

헤에‥

네가 있었다.
군중 속에서 네가 있었다.
나무그루 사이에도
네가 있었다.

그 여름날 환희의 태양 아래…
그 겨울, 침묵의 어둠 속에…
내 여로의 맨 끝에서…
내 고뇌의 낱낱에서…

…네가 있었다!

『늘 푸른 이야기』 완결

LEE MI RA SPECIAL EDITION

늘 푸른 이야기 3

2023년 4월 25일 초판 1쇄 발행

저자 이미라

발행인 정동훈
편집인 여영아
편집책임 최유성
편집 양정희 김지용 김혜정
디자인 형태와내용사이

발행처 (주)학산문화사
등록 1995년 7월 1일
등록번호 제3-632호
주소 서울특별시 동작구 상도로 282 학산빌딩
편집부 02-828-8988, 8836
마케팅 02-828-8986

ISBN 979-11-411-0336-1 (07650)
ISBN 979-11-411-0333-0 (세트)

값 16,500원